Alexander Borodin

Recueil de romances

Collection of Romances
Sammlung von Romanzen

pour voix moyenne ou grave et piano
for low or middle voice and piano
für mittlere oder tiefe Stimme und Klavier

F 95055

ROB. FORBERG MUSIKVERLAG

Index – Inhalt – Sommaire

F 95055
ISMN 979-0-2061-0591-3

Alexander Borodin
(1833-1887)

Alexander Borodin was already a notable medical scientist and chemist before he appeared before the public as a composer. In 1862 he met Mili Balakirev who began teaching him composition. (Balakirev would later conduct the premiere of Borodin's first Symphony in 1869.) Borodin joined the so-called "Mighty Handful", whose other members included Mussorgsky, Balakirev, Cui, and Rimsky-Korsakov, in 1864. These composers set themselves the objective to develop a self-contained Russian music following the example of Glinka. This purpose was directly in opposition to the tendency of some composers to assimilate Western music practices represented in much of Tchaikovsky's works.

The idea of a national style is particularly evident in Borodin's composition *In the Steppes of Central Asia* for orchestra and in his magnum opus, the opera *Prince Igor*. The opera includes the often-extracted *Polovetsian Dances*. Borodin also composed songs with piano accompaniment, piano pieces, and chamber music, in particular two string quartets which remain very popular today. These quartets follow more Western traditions and therefore were criticized by his colleagues. However, given Borodin's temperament, this criticism probably had little effect on the composer. He followed his personal inspiration rather than the expectations of his colleagues and critics. Borodin's music became a perfect symbiosis of Western-European Romantic sounds combined with traditional Russian elements to create the strong charm of his style.

The songs in this edition were written in the late 1860s around the time when Borodin began working on the opera *Prince Igor*. The songs were first published in 1870 by P. Jurgenson and again in 1885 with added French translations. In the mid nineteenth century, French was the language "bridge" to overcome the language and alphabet barrier between Russia and central Europe. Many composers, including Borodin, frenchified their names (Alexandre Borodine) and gave their works French titles. The French translations can still fulfill this bridge function today. Because these translations were published during Borodin's life, we feel it is historically responsible to continue the tradition. However, performing the songs in the original Russian is closer to Borodin's intention.

The four songs were composed within a short time period, but probably were not intended to be connected as a song cycle; this connection was likely created by the publisher Jurgenson for the 1904 edition. Nevertheless, the connection seems not completely arbitrary since the dedications suggest a certain connection between the pieces: each song is dedicated to three of Borodin's colleagues in the "Mighty Handful," and to the mentor and intellectual voice of the group, Vladimir Stasov.

The songs offer a fascinating kaleidoscope of moods set in music, not only effective as individual pieces, but also as a song cycle. The set begins mysteriously with the fairy tale of the "Sleeping Princess"; two short songs about the perils of love follow, the bitter-sweet "False Note" and the passionate, excited "Full of poison are my songs" after a poem by Heinrich Heine; finally, the cycle is framed by another ballad, the merry return of a seaman whose journey has brought him wealth and happy love turns into a struggle against the stormy and roaring sea which swallows him in the end.

Markus Heinze

Alexander Borodin
(1833-1887)

Alexander Borodin war bereits ein angesehener Mediziner und Chemiker, bevor er auch als Komponist an die Öffentlichkeit trat. 1862 hatte er Mili Balakirew kennengelernt, der ihn von da an in der Komposition unterrichtete und 1869 die Aufführung seiner 1. Symphonie dirigierte. 1864 trat er dem aus Mussorgski, Balakirew, Cui und Rimsky-Korsakow bestehenden sogenannten „Mächtigen Häuflein" bei: Die Komponisten hatten sich zum Ziel gesetzt, eine eigenständige russische Musik zu entwickeln, in Nachfolge Glinkas und in Opposition zur „Verwestlichung" der Musik, wie man sie etwa im Werk Tschaikowskys zu erkennen glaubte.

Besonders deutlich wird dieser Nationalstil in Borodins bedeutender *Steppenskizze aus Mittelasien* für Orchester und seinem Hauptwerk, der Oper *Fürst Igor*; die darin enthaltenen *Polowetzer Tänze* sind bis heute eines seiner meist gespielten Werke. Darüber hinaus komponierte er Lieder mit Klavierbegleitung, Klavierstücke und Kammermusik, insbesondere zwei bis heute beliebte Streichquartette, die nicht nur bezüglich der Gattung westlichen Vorbildern folgten und daher auf die Kritik seiner Kollegen stießen. Das wird Borodin nicht zu sehr betrübt haben; er folgte als Komponist mehr seiner Inspiration als einer Theorie und die gelungene Symbiose von westlich-romantischen Klängen mit russisch-traditionellen Elementen macht den tiefen Reiz seines Stils aus.

Die vorliegenden Lieder entstanden in den späten 1860er Jahren, also etwa in der Zeit, als Borodin mit der Arbeit an der Oper *Fürst Igor* begann. Sie erschienen 1870 im Verlag P. Jurgenson mit russischem Gesangstext und 1885 zusätzlich mit den französischen Textübertragungen, die auch in diese Ausgabe übernommen wurden. Das Französische war in jener Zeit die übliche Brücke, um die Sprach- und Schriftbarriere nach Mitteleuropa zu überwinden, und viele Komponisten, darunter auch Borodin, „französisierten" ihren Namen („Alexandre Borodine") und gaben ihren Werken französische Titel. Diese Brückenfunktion können die Übertragungen auch heute noch erfüllen, zumal sie zu Borodins Lebzeiten entstanden. Der Vortrag im russischen Original ist aber selbstverständlich vorzuziehen.

Die vier Lieder sind zwar in zeitlicher Nähe, aber nicht als Zyklus komponiert worden, diese Verbindung hat wohl der Verleger Jurgenson für eine Neuausgabe 1904 vorgenommen. Sie erscheint jedoch nicht ganz aus der Luft gegriffen, schon die Widmungen legen eine gewisse Verbindung nahe: Jedes Lied ist einem seiner Kollegen des „Mächtigen Häufleins" zugeeignet, eines dem Mentor und intellektuellen Sprachrohr der Gruppe, Vladimir Stasov – nur Balakirew fehlt.

Die Lieder bieten ein fesselndes, und eben auch als Zyklus wirkungsvolles Kaleidoskop in Musik gesetzter Stimmungen: Geheimnisumwoben hebt es an mit dem Märchen von der „schlafenden Prinzessin"; es folgen zwei kurze, ergreifende Lieder über die Tücken der Liebe – bitter-süß „Der falsche Ton", leidenschaftlich erregt die Heine-Vertonung „Vergiftet sind meine Lieder"; und wie ein Rahmen folgt eine weitere Ballade: Die freudige Heimkehr eines Seemanns, dessen Reise ihm Reichtum und Liebesglück brachte, wird zum Kampf gegen die stürmisch tosende, ihn schließlich verschlingende See.

Markus Heinze

Alexandre Borodine
(1833-1887)

Alexandre Borodine était déjà un médecin et chimiste reconnu avant de faire, comme compositeur, son entrée sur scène. En 1862, il fit la connaissance de Mili Balakirev qui lui enseigna la composition et qui dirigea, en 1869, la première de sa Symphonie no 1. Il rejoignit en 1864 le „Groupe des Cinq" dont faisaient partie Moussorgski, Balakirev, César Cui et Rimski-Korsakov. Succédant en cela à Glinka, ces compositeurs s'étaient fixé pour but de développer une musique russe autonome, en réaction à une occidentalisation de la musique que l'on croyait reconnaître dans l'œuvre de Tchaïkovski.

Ce style spécifiquement national est mis en évidence tout particulièrement dans la remarquable composition de Borodine *Dans les steppes de l'Asie centrale* et dans son œuvre majeure, l'opéra *Prince Igor* ; les *Danses polovtsiennes*, qui en font partie, restent jusqu'à maintenant une de ses œuvres les plus jouées. Sinon, il composa des lieder avec accompagnement de piano, des pièces pour piano et de la musique de chambre, dont deux quatuors à cordes très appréciés encore aujourd'hui. Conformes aux modèles occidentaux, et pas uniquement en raison de leur genre, ils subirent en conséquence les critiques des confrères de Borodine, ce dont ce dernier n'a pas dû beaucoup se soucier ; il suivait davantage son inspiration qu'une théorie et c'est la symbiose réussie de sonorités romantiques occidentales et d'éléments traditionnels russes qui crée le charme pénétrant de son style.

Les lieder présentés ici ont été composés à la fin des années 1860, ce qui correspond à l'époque où Borodine commençait à travailler au *Prince Igor*. Ils furent publiés la première fois en 1870 en russe par l'éditeur P. Jurgenson, et plus tard, en 1885, avec les traductions françaises reprises ici dans la présente édition. Le français était à l'époque la passerelle souvent utilisée avec l'Europe centrale afin de dépasser les barrières de la langue et de l'écriture. De nombreux compositeurs francisèrent leur nom, dont Alexandre Borodine, et donnèrent à leurs œuvres des titres français. Faites du vivant de Borodine, ces traductions peuvent encore remplir aujourd'hui leur rôle de passerelle même si, bien sûr, il reste préférable de chanter les lieder dans l'original russe.

Si les quatre lieder ont été composés dans une courte période de temps, ils n'ont pas été conçus comme cycle ; c'est sans doute l'éditeur Jurgenson qui les a réunis pour une nouvelle édition en 1904. Néanmoins, ce recueil ne semble pas avoir été réalisé tout-à-fait par hasard car les dédicaces laissent supposer un lien certain entre les pièces : Borodine dédie un lied à chacun de ses confrères du „Groupe des Cinq" et l'un d'entre eux au mentor et porte-parole intellectuel du groupe Vladimir Stassov ; seul Balakirev manque.

Ils offrent un fascinant et impressionnant kaléidoscope d'humeurs musicales, aussi sous leur forme de cycle qui débute dans une atmosphère de mystère avec le conte de « La princesse endormie » ; suivent deux courts et émouvants lieder sur les dangers de l'amour – le doux-amer « Dissonance » et « Mon chant est amer et sauvage », une mise en musique d'un poème de Heinrich Heine ; le cycle se termine avec une autre ballade : le retour joyeux d'un marin, auquel son voyage a apporté richesse et amour heureux, se transforme en un combat contre une mer déchaînée, mugissante et qui finit par l'engloutir.

Markus Heinze

Спящая княжна

Сказка

Original key A flat major
Originaltonart As-Dur
Tonalité originale la bémol majeur

La princesse endormie

Conte de fées

Lyrics and music by Alexander Borodin
French lyrics by Charles-Jean Grandmougin

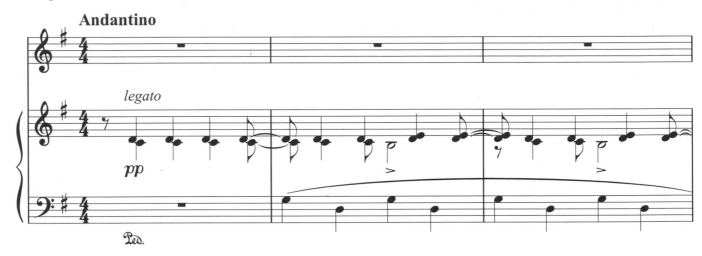

Спит, спит в ле - су глу - хом, Спит княж - на вол - шеб - ным сном;
Dans   le bois té - nè - breux   la prin - cesse aux   si doux yeux,

Спит под кро - вом тем - ной но - чи, Сон ско - вал ей креп - ко о - чи.
par   le char - me d'u - ne fé - e,   au som - meil est con - dam - née et

F 95055

Tempo I

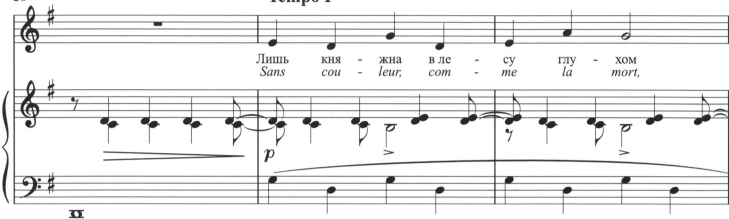

Лишь кня - жна в ле - су глу - хом
Sans cou - leur, com - me la mort,

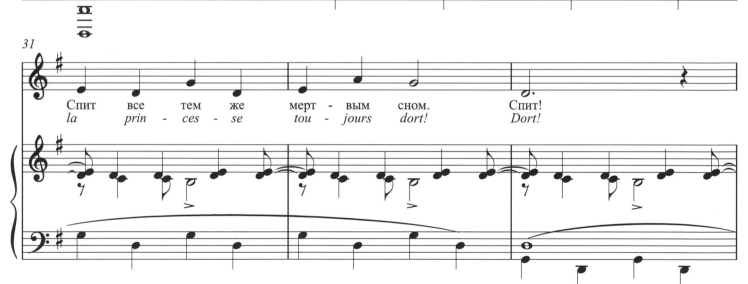

Спит все тем же мерт - вым сном. Спит!
la prin - ces - se tou - jours dort! Dort!

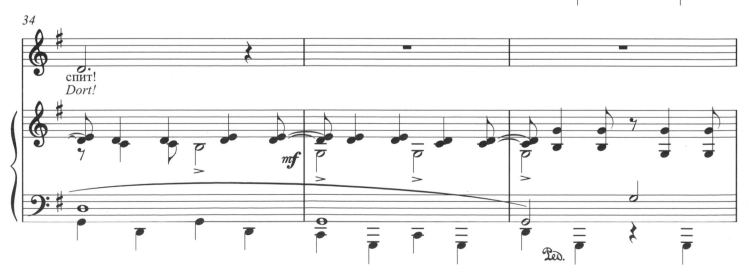

спит!
Dort!

хо - дят дни за дня - ми, Го - ды и - дут за го -
jours s'en vont sans trè - ve, le temps pas - se com - me

да - ми: Ни ду - ши жи - вой кру - гом, Все объ -
un rêve et ja - mais nul n'ap - pa - raît dans la

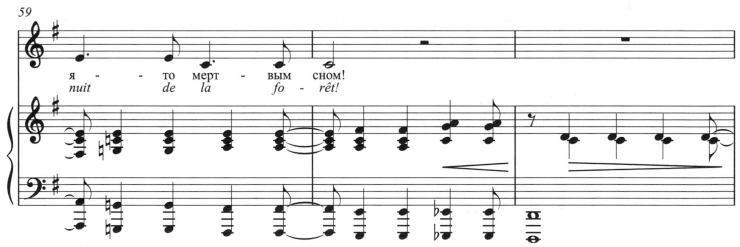

я - то мёрт - вым сном!
nuit de la fo - rêt!

Tempo I

Так княж - на в ле - су глу - хом, Ти - хо спит глу -
La prin - cesse aux si doux yeux, au re - pos mys -

dedicated to Modest Petrovič Musorgskij

Фальшивая нота
Романс

Dissonance
Romance

Lyrics and music by Alexander Borodin
French lyrics by Comtesse de Mercy Argenteau

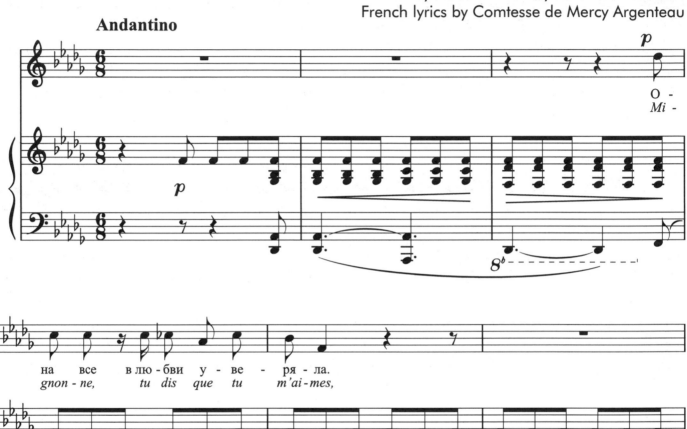

на все в лю - бви у - ве - ря - ла.
gnon - ne, tu dis que tu m'ai - mes,

Не ве - рил, не ве - рил я ей: Фаль -
et dans___ le son de ta voix s'en -

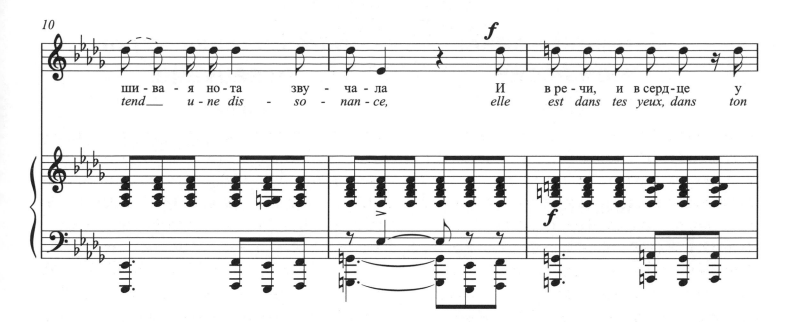

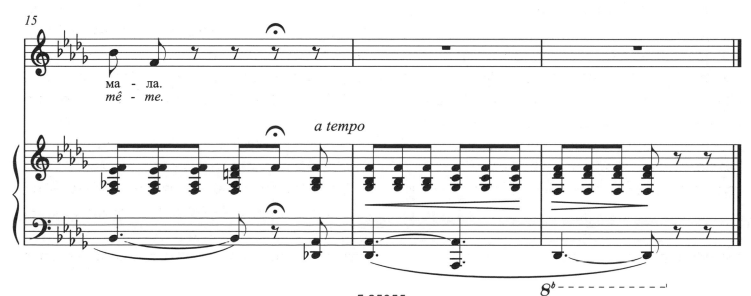

dedicated to Cesar' Antonovič Kjui

Отравой полны
мои песни

Романс

Mon chant est amer
et sauvage

Romance

Lyrics by Heinrich Heine
[Russian by Lev Aleksandrovič Mej]
Music by Alexander Borodin
French lyrics by Paul Collin

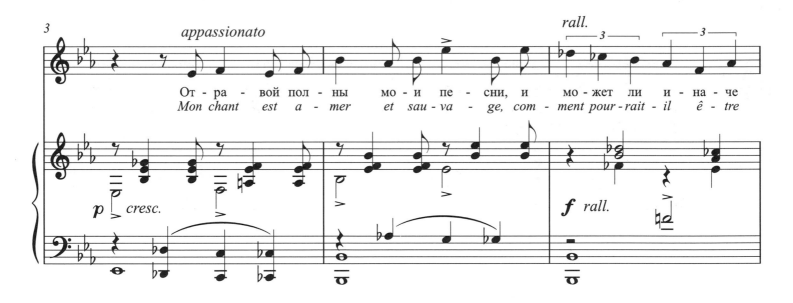

dedicated to Vladimir Vasil'evič Stasov

Море

Баллада

Original key g sharp minor
Originaltonart gis-Moll
Tonalité originale sol dièse mineur

La mer

Ballade

Lyrics and music by Alexander Borodin
French lyrics by Paul Collin

Allegro tempestuoso

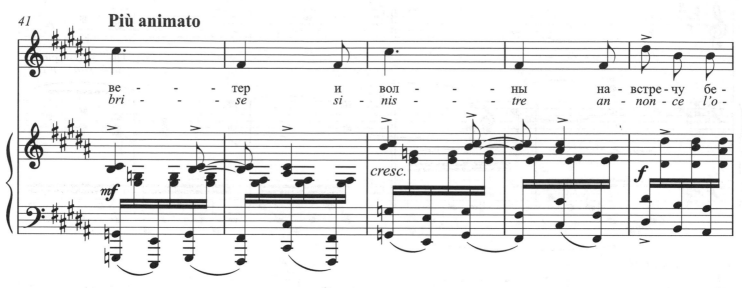

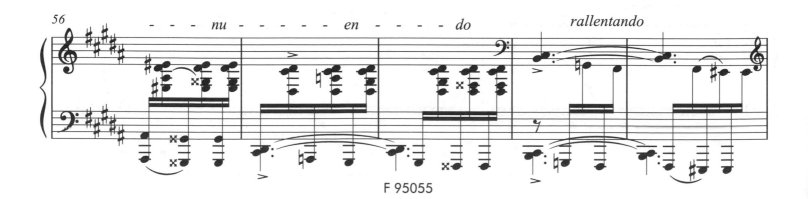

быль - ча бо - га - та - я, воль - на - я во - ля, И неж - ны - е
tout es - pé - rer l'a - ve - nir le con - vi - e, l'a - mour ra - di -

лас - ки же - ны мо - ло - дой...
eux va bril - ler sur sa vi - e.

Мо — ре бур — — но шу — мит,___
*La mer gronde et mu — git,*___

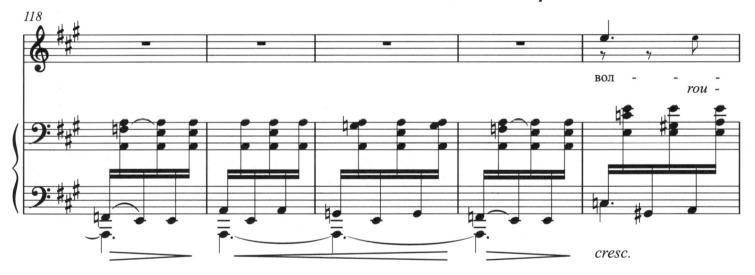

вол — — *rou -*

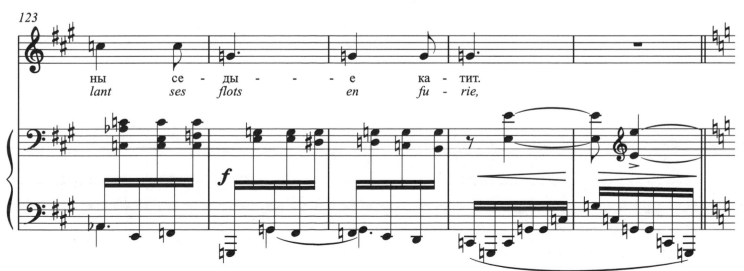

ны се — ды — — е ка — тит.
lant ses flots en fu — rie,

вол - ны на - встре - чу бе - гут,
meu - se lui crache au vi - sa - ge,

И лод - ку от бе - ре - га
il pous - se la bar - que

даль - ше не - сут.
loin du ri - va - ge.

Он си -
Il lut -

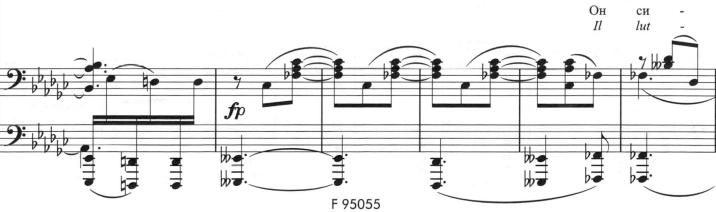

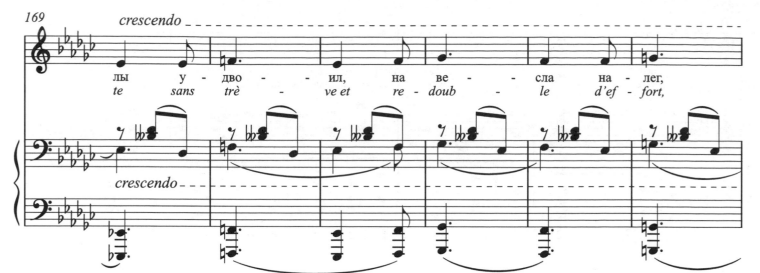

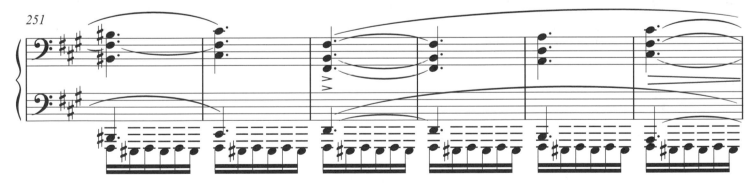

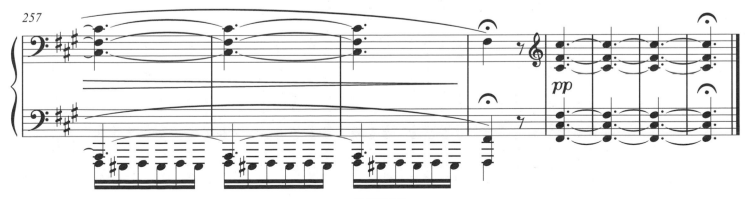

Translations – Textübertragungen

Спящая княжна

The Sleeping Princess – Die schlafende Prinzessin

A Fairy-Tale – Ein Märchen

Russian text
Russischer Text

Спит, спит в лесу глухом,
Спит княжна волшебным сном;
Спит под кровом темной ночи,
Сон сковал ей крепко очи.
Спит! спит!

Вот и лес глухой очнулся,
С диким смехом вдруг проснулся
Ведьм и леших шумный рой
И промчался над княжной.

Лишь княжна в лесу глухом
Спит все тем же мертвым сном.
Спит! спит!

Слух прошел, что в лес дремучий
Богатырь придет могучий,
Чары силой сокрушит,
Сон волшебный победит
И княжну освободит, освободит!

Но проходят дни за днями,
Годы идут за годами:
Ни души живой кругом,
Все объято мертвым сном!

Так княжна в лесу глухом
Тихо спит глубоким сном;
Сон сковал ей крепко очи,
Спит она и дни, и ночи.
Спит! спит!

И никто не знает, скоро ль
Час ударит пробужденья!

(Alexander Borodin)

English
(line-by-line translation)

There sleeps, sleeps in the deep forest
Sleeps the princess in a magic sleep;
She sleeps under the roof of the dark night,
The sleep holds her eyes firmly shut.
She sleeps! She sleeps!

And then the deep forest woke up,
With a wild laugh suddenly awoke,
The witches' and forest-ghosts' raucous swarm
Blustered away above the princess.

Only the princess in the deep forest
Still sleeps the same deep sleep.
She sleeps! She sleeps!

There went the rumour that into the deep forest
A mighty hero would come,
Destroy the witchery with force,
Conquer the magic sleep
And free the princess, free her!

But days after days pass,
Years follow years:
Not a single living soul around,
Everything is surrounded by deep sleep!

Thus the princess in the deep forest
Sleeps still in profound sleep;
The sleep holds her eyes firmly shut,
She sleeps during the days and the nights.
Sleeps! Sleeps!

And nobody knows if soon
The hour of awakening will strike!

Deutsch
(zeilenweise Übersetzung)

Es schläft, es schläft im tiefen Wald,
Es schläft die Prinzessin einen Zauberschlaf;
Sie schläft unter dem Dach der dunklen Nacht,
Der Schlaf hält ihr die Augen fest geschlossen.
Schläft! Schläft!

Und da ist der tiefe Wald erwacht,
Mit wildem Lachen plötzlich aufgewacht,
Der Hexen und Waldgeister lärmender Schwarm
Tobte hinweg über die Prinzessin.

Nur die Prinzessin im tiefen Wald
Schläft noch immer denselben festen Schlaf.
Schläft! Schläft!

Das Gerücht ging um, dass in den dichten Wald
Ein mächtiger Held wird kommen,
Die Zauberkräfte vernichten mit Gewalt,
Den Zauberschlaf besiegen
Und die Prinzessin befreien, befreien!

Aber es vergehen Tage um Tage,
Jahre folgen auf Jahre:
Nicht eine lebendige Seele ringsum,
Alles ist umfangen von festem Schlaf!

So schläft die Prinzessin im tiefen Wald
Still in tiefem Schlaf;
Der Schlaf hält ihr die Augen fest geschlossen,
Sie schläft an den Tagen und auch in den Nächten.
Schläft! Schläft!

Und niemand weiß, ob bald
Die Stunde des Erwachens schlagen wird!

Фальшивая нота
A False Note – Eine falsche Note
Romance - Romanze

Russian text
Russischer Text

Она все в любви уверяла.
Не верил, не верил я ей:
Фальшивая нота звучала
И в речи, и в сердце у ней;
И это она понимала.

(Alexander Borodin)

English
(line-by-line translation)

She has always believed in love.
Not believed, I did not believe her:
A false note sounded
In her speech and in her heart;
And she knew it.

Deutsch
(zeilenweise Übersetzung)

Sie hat immer an die Liebe geglaubt.
Nicht glaubte, nicht glaubte ich ihr:
Eine falsche Note erklang
Sowohl im Reden, als auch im Herzen bei ihr;
Und das hat sie verstanden.

Отравой полны мои песни
Filled with Poison Are my Songs – Voll von Gift sind meine Lieder
Romance - Romanze

Russian text
Russischer Text

Отравой полны мои песни,
и может ли иначе быть?
Ты, милая, гибельным ядом
сумела мне жизнь отравить.

Отравой полны мои песни,
и может ли иначе быть?
Немало змей в сердце ношу я
и должен тебя в нем носить.

(Lev Aleksandrovič Mej)

English
(line-by-line translation)

Filled with poison are my songs,
And how else could it be?
With deadly poison, beloved, you
managed to poison my life.

Filled with poison are my songs,
And how else could it be?
Snakes, not few, I carry in my heart,
and must carry you in it as well.

Deutsch
(zeilenweise Übersetzung)

Voll von Gift sind meine Lieder,
Und kann es denn auch anders sein?
Mit tödlichem Gift hast Du, Geliebte,
es vermocht, mir das Leben zu vergiften.

Voll von Gift sind meine Lieder,
Und kann es denn auch anders sein?
Nicht wenige Schlangen trage ich im Herzen
Und muss auch dich darin tragen.

German original text
Deutscher Ursprungstext

Vergiftet sind meine Lieder;
Wie könnt' es anders seyn?
Du hast mir ja Gift gegossen
In's blühende Leben hinein.

Vergiftet sind meine Lieder;
Wie könnt' es anders seyn?
Ich trage im Herzen viel Schlangen,
Und dich, Geliebte mein.

(Heinrich Heine, Lyrisches Intermezzo,
Nr. 51)

Море
The Sea – Das Meer
Ballad – Ballade

Russian text
Russischer Text

Море бурно шумит,
волны седые катит.

По морю едет пловец молодой и отважный,
Везет он со собою товар дорогой, не продажный.
А ветер и волны навстречу бегут,
И пеной холодной пловца обдают.
С добычей богатой он едет домой:
С камнями цветными,
С парчей дорогою,
С жемчугом крупным,
С казной золотой,
С женой молодою.

Завидная выпала молодцу доля:
Добыча богатая, вольная воля,
И нежные ласки жены молодой…

Море бурно шумит,
Волны седые катит.

Борется с морем пловец удалой, не робеет.
Казалось, он справится с бурной волной, одолеет.
Но ветер и волны навстречу бегут,
И лодку от берега дальше несут.
Он силы удвоил, на весла налег.
Но с морем упрямым он сладить не мог.
Лодка все дальше и дальше плывет,
Лодку волною в море несет.
Там, где недавно лодка плыла,
Лишь ветер гулял, да седая волна.

(Alexander Borodin)

English
(line-by-line translation)

The sea roars tempestuously,
Grey waves it rolls.

Over the sea goes a young and brave seaman,
He carries expensive goods, indefeasable.
But wind and waves are moving against him
And shower the seaman with cold foam.
With wealthy pickings he's going home:
With gemstones,
With precious brocade,
With a big pearl,
With gold pieces,
With a young woman.

An enviable fate has been granted to the fellow:
Wealthy pickings, freedom and independence*
And tender caressings by a young woman…

The sea roars tempestuously,
Grey waves it rolls.

He struggles with the sea, the brave seaman, not wavering.
It seemed he could cope with the tempestuous wave, would conquer it.
But wind and waves are moving against him,
And carry the boat further away from the shore.
He doubled his forces, he pulled the oars,
But the incompliant sea he couldn't overcome.
The boat floats further and further,
The boat is carried by the wave out onto the sea,
There, where just before the boat had floated
Was only the wind and the grey wave.

Deutsch
(zeilenweise Übersetzung)

Das Meer rauscht stürmisch,
Graue Wellen wälzt es.

Über das Meer fährt ein junger und kühner Seemann,
Er führt mit sich teure Ware, unveräußerliche.
Aber Wind und Wellen laufen ihm entgegen
Und überschütten den Seemann mit kaltem Schaum.
Mit reicher Beute fährt er nach Hause:
Mit Schmucksteinen,
Mit teurem Brokat,
Mit einer großen Perle,
Mit Goldstücken,
Mit einer jungen Frau.

Ein beneidenswertes Los ist dem Burschen zuteil geworden:
Reiche Beute, Freiheit und Unabhängigkeit*
Und zärtliche Liebkosungen einer jungen Frau…

Das Meer rauscht stürmisch,
Graue Wellen wälzt es.

Es kämpft mit dem Meer der kühne Seemann, er zaudert nicht.
Es schien, er würde der stürmischen Welle gewachsen sein, sie bewältigen.
Aber Wind und Wellen laufen ihm entgegen,
Und tragen das Boot vom Ufer weiter weg.
Er verdoppelte die Kräfte, legte sich in die Ruder,
Aber das unnachgiebige Meer konnte er nicht bezwingen.
Das Boot schwimmt immer weiter und weiter,
Das Boot wird von der Welle aufs Meer getragen,
Dort, wo vor kurzem das Boot geschwommen war,
Ging nur der Wind und die graue Welle.

---

* In Russian a beautiful play on words and sounds: the two words „vol'naja" (disimprisonment document) and „volja" (free will) sound similar, but stand next to each other without a real grammatical connection – maybe standing for outer and inner freedom. At the same time, both of them seem to be related to the words „volna" (wave) and „volny" (waves) which are omnipresent in the whole poem.

* Im Russischen ein schönes Spiel mit Worten und Klängen: Die ähnlich klingenden Worte „vol'naja" (Freilassungsurkunde) und „volja" (freier Wille) stehen unverbunden nebeneinander – gleichsam für äußere und innere Freiheit. Zugleich erscheinen beide verwandt den Worten „volna" (Welle) und „volny" (Wellen), die im gesamten Lied omnipräsent sind.